劉福春・李怡 主編

民國文學珍稀文獻集成

第四輯

新詩舊集影印叢編　第144冊

【瞿飛白卷】

香嚴集

上海：泰東圖書局 1927 年 12 月出版

瞿飛白 著

【嚴廷梁卷】

晨露

上海：群眾圖書公司 1927 年 12 月初版

嚴廷梁 著

花木蘭文化事業有限公司

國家圖書館出版品預行編目資料

香嚴集／瞿飛白 著　晨露／嚴廷梁 著 -- 初版 -- 新北市：花木蘭

文化事業有限公司，2023〔民112〕

124 面／84 面；19×26 公分

（民國文學珍稀文獻集成・第四輯・新詩舊集影印叢編　第144 冊）

ISBN 978-626-344-144-6（全套：精裝）

831.8　　　　　　　　　　　　　　　　　　　111021633

ISBN-978-626-344-144-6

9 786263 441446

民國文學珍稀文獻集成・第四輯・新詩舊集影印叢編（121-160 冊）
第 144 冊

香嚴集
晨露

著　　者	瞿飛白／嚴廷梁
主　　編	劉福春、李怡
企　　劃	四川大學中國詩歌研究院 四川大學大文學學派
總 編 輯	杜潔祥
副總編輯	楊嘉樂
編輯主任	許郁翎
編　　輯	張雅淋、潘玟靜　美術編輯　陳逸婷
出　　版	花木蘭文化事業有限公司
發 行 人	高小娟
聯絡地址	235 新北市中和區中安街七二號十三樓 電話：02-2923-1455／傳真：02-2923-1452
網　　址	http://www.huamulan.tw 信箱 service@huamulans.com
印　　刷	普羅文化出版廣告事業
初　　版	2023 年 3 月
定　　價	第四輯 121-160 冊（精裝）新台幣 100,000 元

香嚴集

瞿飛白 著

作者生平不詳。

泰東圖書局（上海）一九二七年十二月出版。
原書四十二開。

嘗嚴集

胡適

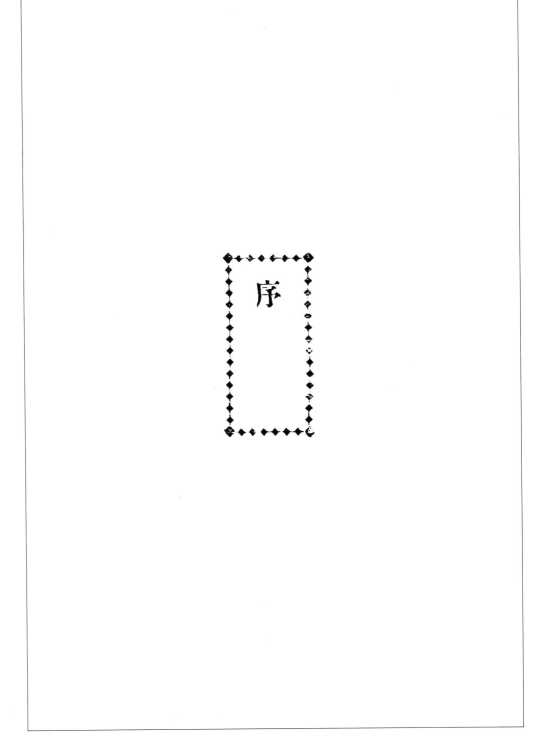

序

序

Winchester說：「詩歌者以音律的形式寫出來而訴之于情緒之文學」卜夏子詩序說「情動于中而形于言，言之不足，故詠歌之；……」所以凡有情感的，未必個個能詩；而能夠寫得出好詩的人必富于情感這是一定的．

飛白富于情感而又思想澈底胸懷澎蕩者．他生長在山水雄麗之鄉成年的在金焦北固之間過一種特殊的生活．自然情感的衝動要比別人為多．他後來又到武昌去讀書前二年又到西藏去求學自然界供給他的詩

—1—

料愈覺豐富，所以他的詩境，也愈覺廣大，愈覺美善．這本

小冊子便是他近幾年中心頭舌尖所必欲發抒的話，以

音律的形式揮寫出來的．換句話說，便是他近年來零碎

思想的集合．以我主觀的眼光看來，這幾百首詩裏有一

大部分是富有美感涵有眞理的．——原來是一部微妙

香潔的詩集啊．

在此集刊印之前，飛白寫信給我，要我做序幷且說

集名「香嚴」我記得楞嚴經上有一節說：「香嚴童子

白佛言見諸比丘燒沉水香香氣來入鼻中；我觀此氣非

木非空，非煙非火去無所著，來無所從．由是意銷，發無明

漏．如來印我，得香嚴號塵氣倏滅妙香密圓……」我想
香嚴的究竟義本是香潔──見維摩詰經──飛白
此集刊印行世在文壇上固然不能一定說有特殊的價
值；但是至少可以使得一部分讀者如經上所說：「塵氣
倏滅．」

我現在拉雜地寫這幾句話，寄給飛白，實在算不得
序言，只好說是一篇介紹的閒話罷了．

十六年五月十日．

伍受眞草于武陽公學．

— 4 —

序

年來中國出版界無多進步；惟有新詩集小說却似

落葉一般的出現．青年學子略能握管作書便相率入于

這一途，已成了風氣．揆其原因，大率因年來政象日惡，社

會上普徧的感覺不安于是一般感覺稍敏的青年，多以

詩酒自放這是中國歷史上所常有的例．但是，青年界成

此輕浮的風氣殊堪悲觀！

日今出版的新詩分析其內容，大率不外「玩物喪

志，」對于社會發些不負責任的話，或對于人生作無聊

的樂觀及無謂的悲感這一類詩．在這些新詩中，自當有

思想高尚能切實指導青年的作品出來，挽回這輕浮的

風氣．

　　飛白有香嚴集之刊，他要我做一篇序；我雖然沒有

見到這集的內容但是我相信他這本書一定是想對于

青年有所指導想使青年于人生之意義上有所了解不

作無謂的悲感或無聊的樂觀．

　　尤有進者，飛白是個研究佛學的人，佛法向來被人

看作消極的退後的我很希望飛白于這一點上多注意，

要用文字因緣闡揚眞正的佛法！

　　　　太朴　十六年十月廿二日于吳淞同大．

序

我記得古時某禪師有首詩說：「春叫貓兒貓叫春，看牠越叫越精神；老僧也有貓兒意，不敢人前叫一聲.」

可憐人們心的深處，誰沒有一段悲哀？誰不想在人前高高的叫他一聲出出胸頭悶氣.但是相傳是古聖人制定下來的禮敎，——什麼是禮敎！——早銅牆鐵壁似的站在你前面了.你假如敢叫，他能夠立刻加上你一個萬劫不復的罪名！譬如你達反了法律縱然斬首刖足也不過及身而止；而且只有少數人有裁判你的權力.却是你如果違反了他們所謂的禮敎，那可就不得了了，他能夠

—1—

制裁你到千世萬世，能夠有成千成萬的人們指着你痛罵．你敢叫麼？叫是不敢叫了，但是我們心的創痍深極了，痛極了；固然不許叫，難道哼兩聲也不行麼？——這個在嚴格的禮教家依然不許你破例；却有少數的文人以爲假如你哼得好聽些能夠藏頭露尾指桑罵槐似的，用些花草樹木風雲月露等類的字樣，把他遮起來，不致他赤裸裸的軒豁呈露；倒也沒有什麼不可以．——這就是所謂「詩」罷？

飛白做好了香嚴集，拿去請我們老大哥劉靈華做序，我們這位劉大哥他正忙着預備做三軍司令帶十萬

大兵，吹吹打打浩浩蕩蕩的直搗幽燕呢！他那裏有閒工

夫來搖頭簸腦做文章他于是乎吩咐小兄弟我做了．我

本來不是詩人，如何敢批評這本集子的好壞又不是藝

術家，自然也不敢鑑定他在藝術上的價值却總該是心

的哀聲罷所以我就替他做了這篇序．

十六，五，二五，晚上・懺華・

序

香嚴集作者瞿飛白君，是一位富有文學天才的少年，這一集小詩是他的最近精彩傑作，他用極熱烈的感情，赤裸裸的筆法描寫社會的背景人的心中的隱情．

可惜！我是一個詩中門外漢的門外漢不但對于詩情，赤裸裸的筆法描寫沒有深刻的研究簡直連看都不看這也許人的個性不同，缺少研究，所以對于詩才有這樣的冷觀．

誰曉得這一次瞿君的詩，不知道其中有什麼魔力，使我讀着不覺得麻煩而生厭，反覺得好像有什麼無畏的光力，充滿我的心情．

—1—

句點頭．我想讀者，鑒賞了這本詩集，至少，也得做胸拍案，句

一九二七，一一，一二．

同活序于上海．

小敘

「詩」？

詩是命泉中流出來的 Strain. 心琴中彈出來的 Melody. 生的顫動，靈的叫喊. 大自然中環繞着我們的一切，就是一個極大的詩境. 在這詩的境界中潛伏着不少的不可思議底魔力，致我心理上有了衝動；使得我不能不在紙上用筆尖簌簌地寫下這幾百行字來. 故而這本小冊子，也總算是我近年來心情上感覺的一種純眞的表現.

不過我覺得我自己的作品，的確是很幼稚的人家看了，或許要說這那裏還配說上「詩」這一個字，但太

戈爾飛鳥集上有句詩道：「羣星不怕同螢火一樣的現出來.」我的作品譬如是幾顆僅僅祇能放出一些微光的小星兒；我不管什麼竟大着膽供獻給一般人們.如有人能予以嚴格的批評那末,我刊印這本小冊子的目的便算達到；這是我深深感謝而盼望的.

在這還要謝謝諸位先生們給我做序.

一九二七,一一,一九.

飛白于滬上.

—2—

著者造像

—4—

今我

一六，一一，滬濱．

自題小影

（一）

啊——你

啊——你

你！你！你！

○　　○

我不知道你，

我不認識你，

我更不相信你你！

你是絕大的魔王，

　　○

你是萬有的奴隸，

你尤其是我精神上的盃賊！

　　○

你竟用你的魔力化做我環境上一切的對象，

　　○

你更用你的魔力驅使環境一切向我進逼．

啊——你

啊——你

啊——你

啊……………

啊……………………

你原來就是我！？

我原來就是你！？

你！你！你！

（二）

你就是我．

我就是你．

我，………我……你，

你………我……你，

一六，一二，一四，上海．

不隔一重山，
不分一片水·

○　○

但是，
爲什麼影外有我？
形外有你？
四耳四目？
兩鼻兩嘴？

○　○

說我不是你吧，

怎的畢肖不僞？

說你不是我吧，

畢竟又是體出同軌！

○　　　○

唉！

是眞，是僞，

是我，是你，

總是幻化空生！

總是骷髏活鬼！

○　　　○

—5—

我……你

誰能免了生……死？

一樣蜉蝣虫似的，

還配着分個彼此！

○　○

算了罷！

意識構造的你我們，

紛紜何事？

止——止——

一六，三，二○．

—6—

香嚴集

瞿飛白 著

秋深了，

桐葉簌簌地落下．

似乎力竭聲嘶的喊道：

「魔王又在這裏催逼着我們了，

人們！精進啊，

○ ○ ○ ○

也不要軟化在這魔王勢力之下罷．」

楓樹的葉子，

越發紅了．

牠不願做霜露的征服者．

○　　○　　○

江心底明月，

算有能耐的了，

洶湧的波濤也逐牠不去．

○　　○　　○　　○

春天的風，

是花的恩人；

—2—

秋天的風，
是花的勁敵；
一樣的風，
恩仇可不同了．

〇

時計的秒針不用走罷！
人們寶貴的光陰，
被你一分一秒的斷送了．

〇　　　〇

〇　　　〇

冷風颯颯地吹破了窗上的紙，

〇　　　〇

窗紙在那裏悲切的吟哦了．

蕭瑟了蘆花，
消瘦了菊花，
憔悴了我……他．

蟋蟀在牆陰下悲哀苦切的叫着．

哦！
牠是個被棄于秋神者之一．

——4——

征程不見楊柳，

大約蜀中沒有春風吧？

　　　　○　　　　　　　○

似乎要阻住我們的去路.

高山聳起肩膀，

　　　　○　　　　　　　○

哦！

牠漸漸地低下去了⋯⋯沒有了，

這時，

　　　○　　　　○　　　○　　　○

愈顯得我的心兒比牠高過萬丈.

心念如潮，

却不能如流水的那樣逝去．

　　○　　　　○　　　　○

鶯兒泣了，

　　○　　　　○　　　　○

眼淚！

點點……滴滴……

小鳥低聲對牠說道：

「展開笑容罷！

春神要發怒了．」

　　○　　　　○　　　　○

—6—

花謝了；

一片一片……

輕輕地落將下來；

恐怕惹動春神的悲腸啊．

○

○

太陽走到西邊，

樹影却跑到東面去了；

○

啊！

誰是多情？

誰是無情？

○

如銀似的雪海，

把青山沉沒了．

我立在最高峯上；

却似萬頃一葉．

○　　　○　　　○　　　○

風聲兒呼——呼——

好似老天嘆息；

雨點兒淋淋，

好似老天哭泣；

—8—

嘆息——哭泣——

那無非替我們苦惱的衆生着急．

○　　　　　　○　　　　　　○

流水聲浪傳入耳鼓，
我心漸漸的沉寂下去．
可是一轉念間，
竟攪動腦海的波濤．

○　　　　　　○　　　　　　○

故人——知音——
遠在天末，

——9——

仰祝白雲，

替我們傳遞消息．

○

鏡裏的我和鏡外的我，

是同一樣的幻景啊．

○

馬頸下的鈴子，

叮叮——噹噹——

我的心兒，

又飛到金山塔尖兒上去了．

○ ○

○ ○

○ ○

○

　　我立在最高的山頭上一嘯，

　　羣山盡拜伏下去了。

○　　　　　　○　　　　　　○

　　一對白鷗，

　　被圍在雪浪裏頭，

　　不定的浮起沉下．

　　人們的榮⋯⋯辱⋯⋯生⋯⋯死⋯⋯

○　　　　　　○　　　　　　○　　　　　　○

　　還不是同牠一樣．

○　　　　　　○　　　　　　○

東風又在那裏肆虐了，
可憐！
片片飛花，
竟無棲止處了。
○
這是替春神的寫真。
桃柳嬀嬀底笑着，
○
困悶的思潮，
○
與環境的惡魔相應了。

覺悟罷！

○

腦海的限量，

○

盡大千世界的潮流，
只是盛他不滿．

○

搔首長空，
悵然四顧，

○

知音……
只有我的影子和明月！

—13—

雲飛無意，

不過人們識神上生一種痕跡罷了．

情誼能在想像的心念上留存地步，

這才是眞有價値的了．

我願化做空山的白雲，

悠悠——蕩蕩——

小鳥也算是多情的了．

牠不忍落花被人踐踏，

一片片啣到窠子裏去了．

○　　○　　○　　○

閑看着桃……杏，

開花了，

結實了，

最後！

○　　○　　○　　○

不過博得大家一個批評是酸——是甜……

明月伴着花陰，

但恐怕驚醒牠的好夢.

　　　　〇　　　　　〇

我疑牠又受了誰的欺負，　　　〇　　　　　〇

一夜的露水浸滿了桃顋，

　　　　〇　　　　〇

　在那裏流泪了.

　　　　　〇　　　　　　〇

過去的我那樣，

現在的我這樣，

未來的我又怎樣呢？

—16—

○

洪——洪——

○　　　　　　　　○

我說：

「鐘聲！

快放大了喉嚨，

叫醒了人們的沉沉迷夢．」

○　　　　　　　　○

聲聲的砧杵，

○　　　　　　　　○

把我萬種的愁懷搗成一片．

○　　　　　　　　○

—17—

惜春心事，
盡在萬聲啼鳥之中．

夜闌了，○ ○ ○
萬籟寂然，
秋鶯偷渡過明河了． ○ ○

如荳的燈光，○ ○ ○
慘澹無力的照着斗室，
同征人一樣的憔悴了．

—18—

○

我睡在綠茵上面，

○

覺得牠又柔、又輭、又稠、又密，

○

便是嗅着那一種微妙的清香；

連心地總清涼了.

○

○

那正是微妙的歌聲啊.

深夜中萬籟寂然，

○

○

○

梅花站在高嶺上面，

○

○

瞧着桃李笑道：

「你們爲什麼跚跚來遲了？」

○　　　○　　　○

小鳥悲傷了，

我說：

「花開花落，

干卿底事呢？」

○　　　○　　　○　　　○

鷹兒在半空裏一聲長嘯，

哦！

—20—

牠凌雲高歌了.

○　　○　　○

站在峨嵋峯頂上，
看那萬頃的雲海，
天總縹浮起來了.

○　　○　　○

霧漲把千山沉沒了，
我欲駕着清風，
渡過這片汪洋.

○　　○　　○

○　　○　　○

我要開闢煩惱之田，
耘種那無量究竟的快樂種子．

○ ○ ○ ○

樹枝是很可厭的，
牠把月影舞碎了．

○ ○ ○ ○

風姨怒氣衝衝的走來，
綠蘋迴避了．

○ ○ ○ ○

我最歡喜立在最高的山峯上面；

瞧着四面的風雲起處．

〇　　　　〇　　　　〇

山影倒入清溪裏頭，

魚蝦在山頂上遊戲了．

〇　　　　〇　　　　〇

快樂的途徑，

只有從解脫的方面可以走去．

〇　　　　〇　　　　〇

東風把花枝吹得零亂了．

蝴蝶慌忙起來，

〇　　　　〇　　　　〇

——23——

不住的上上下下要想擁護着．

月明如水，

我疑惑大地陸沈了．

愁聽一夜點滴之聲．

曉看花容，

消瘦許多了．

我恨不得揮起老拳，

—24—

把那虛空搗碎，
好另造一個快活的世界.

　　　　　○　　　○　　　○

靜悄悄底高山，
淡蕩蕩底流水，
那就是我識神上莊嚴的國土.

　　○　　　○　　　○　　　○

紛擾擾底人們，
誰不是銀幕上的演員啊？

○　　　○　　　○　　　○

—25—

我把萬里的鄉心，
擱在郵筒中寄去．
閉目凝神想着，
好似到了故園舊處．
　　　　　○　　　○　　　○
山谷裏的花草，
牠是具有奇特性情的．
牠看不慣世間底擾攘——紛紜——
牠願意常伴着孤寂——凄清——
　　○　　　○　　　○　　　○

黃鶯在綠陰下啼泣了，

嗚嗚——咽咽——

唉！

牠究竟爲誰傷感呢？

　　○　　　○　　　○　　　○

我騎在馬上，

聽着潺潺溪水，

恍疑身在舟中了．

　　○　　　○　　　○　　　○

一粟之身，

浮沈在人海裏頭，

時間——催迫着；

空間——監督着；

自由幸福，

却遠避我們了.

○　　○　　○

燕兒喃喃啼着，

似乎對他主人說道：

「久別了，久別了.」

○　　○　　○　　○

○　　○　　○　　○

燕兒！

你還認得故窠麼？

還見得你舊主人無恙麼？

燕兒容顏慘澹了，

啼聲越發悲切了．

○　○

燕兒還沒忘了故人，

一年也作一度的相會．

可是光陰老去；

他們想見之下；

○　○　○　○

—29—

燕兒撲食小虫，
○　○　○　○
陌頭——天末——|
依止家何處！
凄涼；遙闊。
征程，
不曾離巢之燕，
我！
○　　　○
不知應該怎樣感慨呢？

——30——

小虫哭着說道：

「你何不留些恩深？

留待以後相見.」

〇 〇 〇 〇

春殘了，

欲問山花消息，

牠們可皆無恙？

〇 〇 〇 〇

空山裏的鳥雀，

自在的飛行優游着.

—31—

牠們真好似高隱了．

○　　○　　○

愁心與征程共進．

○　　○

我禱祝天帝，

「請你將古今底憂愁種子，

都下入我的心田裏去罷，

勿再分給別人了。」

○　　○　　○

我坐在白雲深處，

許多小鳥的歌聲

由那松風輕輕吹送過來;

心境上不覺與牠打成一片了.

○　　　　○　　　　○

白雲初漲的時候,

天老兒把頭慢慢低了下來,

和四面的高山接吻了.

○　　　　○　　　　○

春神才受着萬有的歡迎,

一瞬間,

又承着牠們很悲哀的相送;

—33—

其中難道另外還有人在那裏操縱嗎？
○　○　○　○

精神上的「我」是知，
○　○

物質上的「我」是執，
○

其實，

同一偏計啊！
○　○　○

小鳥底歌聲和滴漏雨聲，
○　○　○

零零——落落——

好相一拍一和似的．

我欲着天風之裳，
　　奔雲之靴，
　　　　　　○　　　　○

以優游蓬萊——瑤島——
　　○　　　　○

造物的主，
　　○

是人們的大敵，
滿布着愁苦生死的惡魔；
殘酷——凶險——
曷其有極？

心地是悲哀愁苦的戰場，
○　　○　　○
誰勝了，
那便是誰的領土了.
○　　○　　○
愁魔和詩心交戰了，
結果！
勝敗都集在我的一身.
○　　○　　○
我坐在樹林下面.

—36—

潺潺底流水，
在那裏替我操琴了．

　　○　　　　　○

靈化做清風飛去。
向着空山裏長嘯一聲，
滿腔的愁忿，

　　○　　　　　○　　　　　○

只有替自己做活計的……
　　是個不求工價的匠人．

　　○　　　　　○　　　　　○

集天下的力士，
他能將人們的生死搬開去麼？

　○　　　　○　　　　○

法律，
只在良心上的那一點，
「善」和「惡」的判斷，
本來是機械的啊！

　○　　　　○

微波蕩漾着，
燦爛之月光，

—38—

變做金蛇之影了．
○　○

暮雲漠漠，
天老兒把繡幕扯攏了．
○　○　　○　○

我要鑿山成杯，
傾海爲酒，
與天老兒猜個拳兒，
看是誰勝誰負？
○　○　　○　　○

心田裏的愁苗，
受着雨露的潤澤，
越發怒苗了．
〇　　〇　　〇
坐在茂林深裏，
靜聽着風篁水韻．
快樂之神，
在我心房裏跳舞了．
〇　　〇　　〇
無音的心曲，

—40—

無絃的琴聲，

在那終古裏頭；

無間——無斷——

依舊兒淙淙錚錚.

○

最濃郁而嬌豔的是桃華，　○

最純潔而幽香的是蓮華，

最清冷而恬淡的是我心之華.　○

○　　　　　　　　　○

風姨狂舞着，　　○

幾乎折斷楊柳之腰.

○　　　○　　　○　　　○

惡濁的塵氛,

積深養厚.

我欲在天的上層,

開一扇的窗兒.

○　　　○　　　○　　　○

紅稀綠暗,

在那無情的風雨裏頭飄搖着.

哦!

—42—

牠猶是未了之因啊．

○　　　　○

又感着大好的韶華易老；

待得隔年相看，

只恨牠歸去太早．

春色宜人，

○

唉！

苦惱——

○　　　　○

我…………

○　　　○　　　○

我欲粉碎萬有，

以還歸於造物主．

○　　○

我將無邊底風月，

盡情收入詩囊．

推敲研細，

那就是新詩的資料了．

○　　○

一樣受着雨露，

怎麼菓甜瓜苦？

—44—

○
情懷萬種，

○ 我且將他收入詩瓢．

○ 解放那一切自心中的「我」

○ 打破那一切對境上的「人」．

這樣：

○ 可以息未來際的戰爭了．

○ 空山裏頭，

最微妙的……
是丁丁的伐木聲，
嗎嗎的鳥語聲了．

○　　○　　○　　○

一陣狂風，
羣山皆被牠吹得歪斜零亂了．

○　　○　　○　　○

黑暗之夜．
一個偌大的宇宙，
盡被明月和盤托出了．

——46——

擁月於懷，

月兒深深底眠去了.

降雨是老天流汗，

風生是老天揮扇，

只是一些可憐的眾生們；

熱惱如何能斷?

巫峽怎的那樣奇秀?

— 47 —

誰是造作者？

悠悠底逝水，

你能告知我麼？

○　　　○　　　○

灘聲如號，

像是警告舟行的人們.

可是苦海裏的衆生，

又憑着什麼出險呢？

○　　　○　　　○

靜聆着江聲，

江聲鬱鬱；

閑看着山色；山色沉沉；

我一片一片的幽思啊，

向誰說去？

○　○　○　○

逆境是向上墮落的關頭，

朋友們在這裏小心點罷.

○　○　○

從反面觀察，

—49—

最可以得到實際真像的所在.

○　　○　　○

但見着聰明人了.

所以在在處處……

○　　○　　○

大智若愚,

滔滔底流水,

○　　○　　○

是千古愁人之泪.

放鶴空山,

○　　○　　○

聽鶯綠野，

不知要添得幾多興趣？

　〇　　　〇　　　〇

夢中的事業，

一刹那可以經過無限的滄桑．

其實，

世間上的事何嘗不是這樣呢？

　〇　　　〇　　　〇

日月如舟似的，

牠一天一天……

偷向光陰中渡過去了．

○

○

○

韶光遷流的速度，

○

但看形骸上的變易就知道了．

○

在金錢的孔裏，

○

○

可以察看一切的人心．

○

○

○

小我是生活的工具，

○

○

大我是幸福的工具，

無我是解脫的工具．
○　　　○

零落底鳥聲，
勾起諷海無限的思潮．
囘看着梨花，
牠亦容顏憔悴了．
○　　　○　　　○

光陰本來是不生不滅的啊！
只怪多事的日月，
將牠一天一天斷送了．
○　　　○

潭水慢慢鼓蕩着.

微風吹入碧潭，　○　　○　　○

桃花潭水，　　○　　○　　○

層層相映着.

竟好似水底碧天起了暮雲.

就是幾堆白骨了.

感人最深的，　○　　○　　○

且俯首看去，

哦！　○

山光人影，亦皆戰慄起來了．　○　○

蕭齋寂寂靜坐着，　○

沙——沙——

庭前底綠竹，

又唱起秋之歌來．　○

青蛙成天的聲嘶氣咽的啼着，　○　○　○

這是牠不平的心中所流露的哀音啊. ○　○　○　○

夜闌了, ○

花枝睡熟了,

蛙兒!

你可以不用啼了罷. ○　○　○

臨風揮汨, ○　○　○

把滿腔的愁絲抽盡了罷. ○　○　○

「難」字是事業之敵,

人們!

努力和牠激戰罷.

〇　〇　〇　〇

流水潺潺,

牠也替我作不平之鳴了.

〇　〇　〇　〇

我欲無言,

我欲無形,

我欲無情.

悄悄底坐着，

　　　　○

默默底想着；

腦海的波濤，

竟洶湧起來了.

　　　　○

凄涼風雨，

　　　　○

如何偏是客中多？

　　　　○　○

只聞人語聲，

　　　　○　○

—58—

不識人何處？

踽踽山中行，

詩情添幾許．

○　　　○　　　○

我願人人持丈八之矛，

執禦敵之盾，

努力與那生死的魔軍鬥着．

○　　　○　　　○

風姨走過空林，

林木喁喁的在那裏和牠私語了．

人們是明明知道免不了生離死別的；○

可是，

越是愁苦了．

越是知道了，

鳥獸着了人的衣冠，

或許比人類還要善些．

顧天有月，

顧我有影，
一身悠悠萬里，
也不算得寂寞了．
○　　○
他低着頭兒沉思了．
一滴一滴心頭之血，
從筆尖上流出來了．
○　　○　　○　　○
永生的虛空，
○　　○　　○　　○
牠立在山坡上笑我們多事了．

秋虫！
你替着人們太息的呢？
還是爲着自己太息的呢？

自然律上的變化，
牠仍然脱不了時間和空間的操縱啊．

最大的儲藏室，
怕是心房了．

喜怒哀樂，

他能一起收藏着.

　　○　　　　○　　　　○

歲數一天一天的增加，

是造化送給我們的禮物.

我們只有把死滅去報効牠.

　　○　　　　○　　　　○　　　　○

要是禁止物質的幫助吧，

生活上不免受了無情的架具；

要是放縱生活的自由吧，

又恐怕走上危險的路徑；

唉！
我竟不敢有所措置了.
○　　○　　○

萬籟漸漸寂靜了，
月兒慢慢底移動了，
啊！
○　　○　　○

牠畢竟是我心靈上的恩物.
○　　○　　○

我要將我的心兒拆碎；

一點點分到萬有裏去.

那末,

宇宙成做一個我的世界了.

○　　○　　○

反戈自向,

然後才可以知道一切相對的心理啊.

○　　○　　○

倘若死神可以利誘,

我很願意盡我的能力,

代一切物類謀永久的生存.

— 65 —

膽囊裏的苦汁，○

是受着環境的賜與，

和心識生活所貯藏的．

風聲雨聲，○

送過紗窗，

一陣──兩陣──

報與愁人知曉．

○ ○ ○ ○

── 66 ──

對於上底「美」和「非美」，

竟爲他罷戰了．

解放和自由的信條；

精神上的使命，

生活上的要求，

還是不安慰的好．

她越哭得利害了，

我越是安慰她，

受着歡迎和反對的熱潮，

竟引起互相的決鬥；

唉！

這是慾望的罪過吧？

○

微風輕輕吹着，

樹葉沙沙落將下來，

那嚴肅沉默的裏頭；

似乎有無窮悲慘的歌聲.

○　　○

○　　○

○　　○

詩人是宇宙的靈魂．

不變不滅，○

那才是詩人長久存在的精神，○

　　　　　　　　　○

　　　　　　　　　○

樂陶陶地；

擁月而眠，

踏月而歌，○

被人當做神仙看，

　　　　　○

　　　　　○

無限的歌聲，

　　　　○

無限的詩意，

一入愁腸；

盡化做淒涼的資料.

○　○　○

更現出無窮秋意.

蒼茫幽鬱的裏頭，

冷冷的明月照着寒江.

○　○　○

晚對江村，

夕陽——楓影——

一樣好看啊.

○　○　○　○

塞雁又來了，

○　○　○

我說：

「雁啊！

故園自好，

你何必長此奔馳呢？」

○　○　○

樂陶陶地心運之神，

○　○　○

他在那裏工作了，

—71—

惡劣環境之魔；
皆被他改造和降服了.

○　　　　○　　　　○

是天地的至音.
甯靜而幽寂底；
大樂無情，
大幻無形，

○　　　　○　　　　○

環境是黑暗的牢獄，
我是其中極不自在的拘囚，

啊！

訴與誰？

誰是公正裁判者？

○

○

○

○

春神和一切接吻了；

一切撲向牠的懷裏，

展着淺淺梨渦笑着，

片片紅雲竟映滿桃顋了．

○

○

○

○

一陣陣歸鴉，

—73—

鼓着翅兒，
努力匆忙的飛去．

但是，
歸鴉！
你快樂的家園，
畢竟是在何處？　○
你的前途越發黑暗了！　○　○　○

歸鴉，
請你仔細點兒罷，

不要入了歧路.

○

○

歸
鴉！

你明朝却仍免不了分飛的愁苦，

○

○

可憐！

天涯盡頭，

誰能做你終身的伴侶？

○

歸
鴉！

○

你喃喃說些什麼？

○

○

—75—

命運已是你幸福上的叛徒.

悲怨凄涼,
且向着你自己哭訴.

○　　○　　○

大家起來幫助幸福之神運動罷,
苦惱的魔王;
終要戰敗牠才好.

○　　○　　○　　○

自然界的科學化,
牠利用秋的勢力,

解剖一切；
分析一切；

〇

以研究宇宙物體的可能性了．

〇

〇

〇

夕陽悄悄下了山坡，

〇

黑幕四面重重的垂起．

寂寞的詩神，

在那裏吟哦了，

〇

與一切接吻了．

〇

〇

〇

燭淚點滴的流着，

牠替一切傷心人寫照.

○

心是苦的麼？

但不應該有時快樂.

心是樂的麼？

但怎的與苦相應？

唉！

奇幻的心兒！

詭祕的心兒！

回想着前塵，

嚼蠟般的無味．

未來，

怕仍是現在的過去啊．

　　　　○　　　　○　　　　○

雨聲不住的敲着玻璃窗子．

工愁的窗面；

泪盈盈的哭了．

　　　　○　　　　○　　　　○

—79—

碧沉沉的明月，

將一切浸入牠微妙的情泡裏頭．

萬籟寂然唱歌了，

似乎說：

「月啊！

你是宇宙永久而不變滅的詩心．」

○ ○ ○ ○

郵差，

他滿袋子裏裝的喜、怒、哀、樂，

寄向有情人去．

—80—

落葉的消息,
問那西風就知道了.
○　　　○
白雲是不會厭棄我的.
但牠為什麼離開我的頭頂,
匆匆地飛到別處去呢?
○　　　○
要是她的眼淚足以安慰我,
○　　　○
我願意久遠的藏在她的眼眶之深處.

—81—

　〇

花當將要離開故枝的時候，

幽思深藏在牠盈盈的醉態之中．

　〇　　〇

受着她愛的資養，

衝動我的心靈；

啊！

　〇　　〇

這不是愛，而是愛的操縱者．

是的！

　〇　　〇　　〇

你唱歌罷，

但不要將你的聲音，

送到粗淺人們的耳朵裏去．

○　　○　　○

心裏的愁苦；

至多只能將他表現在沉默的當中．

○　　○　　○

太陽是天天出沒的．

但牠要說：

「你們一切的生命皆是我給你們的．」

—83—

然而「死」只是上帝的恩惠．

〇　　〇　　〇

無聲無臭的光陰暗暗遷移着，

牠是厭棄一切麼？

〇　　〇　　〇

我在斗室之中，

我緊閉雙目靜坐着．

覺得把天地扯進斗室中來，

而且使牠縮小同於一粒微塵了．

〇　　〇　　〇

—84—

可憐的秋聲，

牠爲着一切而呻吟了．

○　　○　　○

搖籃似的船兒，

乘着風直向着牠平安的地點衝去．

可是，

四面的惡浪，越發包圍上來了．

○　　○　　○

我願踏碎了崇巍的山，

補盡世間不平之路．

尾聲

詩啊！

詩啊！

你是神祕中的怪物吧？

你是冥頑不純的知覺性吧？

○　　○　　○　　○

來⋯⋯來⋯⋯

你潛藏在我心房裏游戲麼？

抑還是躲在環境裏工作呢？

○　　○　　○　　○

—87—

是了.

你是詩人的靈魂，

你是高尚的歌者，

你尤其是萬物究竟微妙之神啊.

○　○　○　○

你——能柔能剛，

○　○　○　○

親密溫存風雅；

更能映入我心坎的深處.

○　○　○

我呢！

我是你麻醉的試驗品．

直筆伸紙，

悉皆聽着你的使命啊．

〇　　　〇　　　〇

當你與致來的時候，

一切皆化做你工作上的資料，

一切皆靜悄悄聽候你的支配了．

〇　　　〇　　　〇

詩神啊！

知音啊！

你是我生命之素.

我那枯寂無聊的生活裏頭,

只有你能安慰我、

只有你能開導我;

那末;

我與你結為永久精神上的愛罷.

一九二七,一一,二七,於滬.

中華民國十六年十二月出版

▲全一冊▼

實售洋二角

▲外埠寄費酌加一成▼

香嚴集

（全一冊）

版權所有

著作者　瞿飛白

發行者　泰東圖書局

發行所　泰東圖書局

總發行所泰東圖書局

上海四馬路一二四五號

分售處　各省各大書局

晨露

嚴廷梁　著

作者生平不詳。

群眾圖書公司（上海）一九二七年十二月初版。
原書三十二開。影印所用底本版權頁缺。

~~~~~ 晨 露 集 序 ~~~~~

晨露集

一九二二年的時候，曾對契友塵萍等說；『凡被瀰漫瑣碎的思潮所禁錮住，能寄釋到詩的靈孕上去，感滿同情，那麼？就是弱小的心痕和偉大的天然界咸具以真摯的擁抱。也是愁緒滿懷的心房中的曙光者，真趣者。』說完以後若輩便疑猜我能於詩壇上樹一幟之矯健者，竟戒飭我努力的向前進行。那時！實在終始沒有這樣淨潔的宏願來供獻，但只蘊藏這樣堅誠的旨趣的意志存在罷了。

一九二三的秋月，因疴隱跡于渺覩塔上。西紗窗下，不漸的寒風綿雨蕭蕭滴滴，不盡的鬱恍淒緒，徘繞隱悠。輒逢夕陽一縷，失魂之我，暮愁旋繞，愁極而隅成一詩。花前月下，就誦摯詞，胸襟超曠。復而捲簾徘眺，疎星數顆，散漫空際。皓月似鏡，光華燦爛如銀瀉地。俯視清溪，清月倒映，微風蕩漾，碧流漣漪，寒光千縷，閃閃爭輝，璀璨窈

1

～～～晨 露 集～～～

目。迴顧對岸輩綠堤柳，疏影嬝娜。縹緲宇宙，寂寥清靜。夜深矣，寒氣襲人，陰窗思倦，塔前紫林枝上杜鵑驚翔，啼聲清妙；復聞疏鐘相聞。斯時也，身溺清涼之境益增渺渺悲緒。歸塌後，倀憶蹉跎，疊疊似潮，心潮既澎，否能入眠則釋之詩。詩畢重誦，欣樂增生，憶！詩寄於情，足可葬我悲鬱也。

天然界——是絕對的美詩；是天然境地的藝術者；詩人的性情——是天真爛漫。他的聰而且慧的魂靈，是與天然美飄泊中的一吻。每剎那間，都在織成完美的幽趣的宇宙。然而他的心思，總是縹緲的曲折的絲絲縷縷，的思痕，逗留在一幅美圖上，也是他最偉大的炯潔的安樂園。

這本寫聊粗陋的晨露集，是一掬一掬草下的。在這二年之中，日聚月疊着。再查查小冊子上倒有好像雜亂無章的流水簿賬也般的東西出現。實是友輩慫慂的不過不能不對付，終無刪改的勇氣。倘徉

2

～～～晨露集序～～～

徨海內的賜教者，荷感不啻了。

一九二五年秋月，嚴廷樑自序

3

晨 露 集

1

~~~~~ 跋 ~~~~~

跋

心思——任是這樣縈繚，

　　窮途後再追尋牠的光明。

縹緲的——宇宙幕祗有沉靜，

　　惟有癡者唱牠的角兒呵！

茫茫的——滄海任是奔波着，

　　歸途的遊子憑窗而慷慨呵！

嬌豔的——花枝兒嬝娜呵！

　　那麽開了你的花香便有我的心果呢？

5

~~~~~~ 晨 露 集 ~~~~~~

目 次

心途中的遊子

殘片

雨後的清趣

晨露

6

～～～～ 晨 露 集 ～～～～

（一）

心途中的遊子，

對宇宙說——

我現在再也不能向前跑了；

　請指示我的黑暗罷。

（二）

詩意兒，

是寂寞和憂鬱中的潮流兒；

寄跡在歡欣的世界裏。

（三）

砰湃的波濤，

任只不住的飛跑着；

　靜美的月色，

不住的崇讚牠的勇敢。

7

～～～～晨　露　集～～～～

（四）

悟了自然界的愉樂，

真好像級石般的層層呵！

（五）

朋月呵！

我因小小的朦蔽，

却不能睹你的玉貌；

　　少時——

啓窗迴顧，

　　你也被什麼魔力所邁；

　　却不能晤我呢？

（六）

金雞一啼，

她從簿衾裏爬出來；

　　抬頭一瞥——

8

~~~~~~晨　露　集~~~~~~

一掬陽光，

也和她同情。

（七）

遊子惆悵的，

何處返歸；

付與薄倖的山河罷！

（八）

囚人，

目前的黑暗；

心絃內的光明。

（九）

一杯清澄澄的水兒，

也是渺茫海中的源祖呵！

一句詩，

9

～～～～晨　露　集～～～～

砌着偉大世界的踪跡呵！

（十）

聾人呵！

我要頌讚你——

　　世界上的高歌兒，

也在你心絃裏彈奏。

（十一）

　　失戀的悲慘，

　　　瀉着哀苦的情淚；

她可同情麼？

　　　而後——

英氣勃勃，

　　　歷過險惡的苦海；

　　　再求純粹的功作去。

10

~~~~~晨　露　集~~~~~

（十二）

朔骨的冷風，

將我「心花」兒的香馨兒，

　　吹散在天際上；

將我花蕊的潤兒，

　　吹沉在苦海裏；

我的愛情，

　　也悄悄的散去了。

（十三）

小弟弟的神祕，

是我心靈中的歡樂；

　　也是我聽閒了的艷羨。

（十四）

詩人，

你甯可與沉靜爲蜜友；

11

～～～～晨　露　集～～～～

不願與喧嘩爲侶伴。

（十五）

縹緲的明星呵！

雖是微芒閃爍着；

便有許多的蜜月旅行者，

在你烽芒裏；

繼述他倆的情話。

（十六）

蔚藍太空下，

一朵似雪的白雲兒，

隱隱自驕的飄蕩着；

要曉得詩人窺覷你，

你一切的明豔；

他便有了譏諷的寓意了。

12

~~~~晨　露　集~~~~

（十七）

老朋友，

指示我——

我是飄泊無歸者；

何堪眺望前程的黑暗呢？

（十八）

清脆的鶯聲，

和諧的笛音，

心絃中的奏樂；

世界上也抱着樂觀了。

（十九）

一縷一絲的氤氳青煙，

悠悠的飛上雲霄；

我也願意隨着你，

領略瑤池的風趣。

13

~~~~~~晨　露　集~~~~~~

（二十）

更深人靜的靜夜，

我正孤單單的徘徊間；

忽而時計的噹——噹——

心房中的思潮，

也隱隱約約的挑逗了。

（二十一）

瀰漫的思想，

似奔的洴潮流兒，

寂靜的「心舟」兒；

也溺入了水便傾覆了。

（二十二）

母親滿了慈悲和悲觀的心思，

小孩子只有天眞爛漫，

14

~~~~~ 晨　露　集 ~~~~~

也就是母親執着明燈；

照耀孩子的黑暗路呵！

（二十三）

今天對牠說呵！

你枝上的嬌麗的花朵鮮豔着；

　等會兒——

讓風使與牠甜密的接吻呵！

（二十四）

　智識，

是嶇崎的千萬嶺峯；

　越是勇氣的跑去，

平潔的歧途，

　越顯得隱隱恍惚的相近了。

（二十五）

15

～～～晨 露 集～～～

娉婷的花影，

給我瞧見了；

心田內便有幻中的花魂了。

(二十六)

在深徑中彳亍浮泛的靈魂兒，

是飛絮的飄舞；

在海中，

青山上，

遙望一切的幻景時；

待返後牠便有了囘憶的眞趣。

(二十七)

風，

雨，

雲，

霞，

16

～～～晨 露 集～～～

是宇宙趣劇的銀幕台呵！

　　翠山，

　　碧海，

　　森林，

是幕內的佈景呵！

　　翠山的獸類喧嘩着，

　　碧海內的魚兒游泳着，

　　森林上的鳥兒飛翔着

又好是劇台中的主角兒呵！

（二十八）

　　智識的思索，

微芒的星光，

他倆正在眺望對語；

　　爲什麼一片的淡雲兒巡邊呢？

（二十九）

17

~~~~~~~晨　露　集~~~~~~~

悲風狂吹着，

　　驟雨傾倒着，

心神煩亂了；

一切是砰湃蕭條，

　　久別的太陽呵！

攻擊牠罷。

（三十）

　　牠是飲過玫瑰的蜜露的，

　　這般嬌滴滴的似安琪兒呵！

牠正唱着和諧的歌聲給世界聽，

世界上的人却想和她親齧了。

（三十一）

　　天真的孩子們，

你活潑時，月兒便笑你是輕浮的。

　　牠那明亮而靜的美氣宇，

18

~~~~~晨　露　集~~~~~

你可失望麼？

（三十二）

有學識的人，被同類所羨慕，

然而他也是從盲人途上走來的。

（三十三）

黃金，

囂亂了世界；

若是拋在黃澄澄的海裏呢？

也不過噗嚨的一聲響亮。

（三十四）

小妹妹，

你是我親善的侶伴；

你嫣然一笑，

你柔軟一吻，

10

～～～～晨　露　集～～～～

我一切失戀的悲慘，

也都被洩去了；

　　而今——

　　我瞥見光明時是你，

　　一切都是你所賜。

　　最冽骨的寒雪，

　　足以表示嚴寒的退步呵！

　　　　（三十六）

鶯聲，

你的玉音旋繞着春風；

　　春風吹動我的心房，

　　我就愛聽你的妙聲了。

　　　　（三十七）

　明星呵！

20

～～～～晨　露　集～～～～

微光的，

皎潔的，

　　也能描寫幾句詩兒；

　　在蔚藍的西天上。

　　　　　（三十八）

　　惆悵的愛情，

　　　　是一片浮雲兒；

　　在天上飄蕩一下就失跡。

　　　　✻　　✻　　✻　　✻　　✻

　　崇尚的愛情，

　　　　在任何環境上；

　　都像巖石般的立在險嶺上。

　　　　　（三十九）

　　市場上，

　　是譁聲瀰漫；

　　　　　　　21

～～～～晨　露　集～～～～

那嫋娜柳枝兒的小鳥悟！

婉音清妙；

　　彼處蔚藍天空與那海波交映的青山裏，

寂寥無聲響。

（四十）

　　嬰孩呵！

快從母親中醒了來，

　　枝頭上的小鳥歌喟着；

牠的原聲似乎正與你的小魂中對語呢？

（四十一）

　　心房中的思潮，

如何佩仰牠——

　　有你的宇宙，而尋求來宇宙中的萬象。

※　※　※　※　※

　　思想的活潑，

如何羨慕牠——

23

~~~~~~晨　露　集~~~~~~

有你奔濤的大海，而不如我大海中的錦鱗游魚。

✳　　✳　　✳　　✳　　✳

心思的幻變，

如何頌揚牠——

於最大的世界上，而終尋不得牠的足跡●

✳　　✳　　✳　　✳　　✳

（四十二）

新婚明夜的窗下，

月兒披着亮晶晶的衫兒；

微笑笑的說，

房內的一對新人呵！

千萬要向光明途上走去呵！

（四十三）

恕人看視學識是皎月般的皎潔，

然而最有學識的人看待自己是任站在黑暗的途

上呢？

53

~~~~~晨　露　集~~~~~

（四十四）

弱小的心絃，

「思想」來彈彈牠；

有腔有調的奏唱着。

（四十五）

詩人，

天空中的靈魂；

追道了青山茫海園林的幻途，

歸來後而得倒他途中的寶物。

（四十六）

小屋宇，

微人的安頓處；

偉大的世界呵！

我也尋求了青山與湖光的翼呵！

21

~~~~~晨　露　集~~~~~

（四十七）

　　壺兒，

　　呆呆的瞻仰天上的彗星；

　　也許瞥見一幕自然趣戲的一般呵！

（四十八）

　　將我的心血，

　概灌全世界的花兒，

　　　等着妙年姑娘的旅行者；便生了羨慕牠的心了
　　　。

（四十九）

　　孩兒嗅着花香時，

　　　便開了籍取了牠的花根；

　　自以為愛惜牠了。

25

~~~~~~晨　露　集~~~~~~

（五十）

小燈呵！

紅塵上好許的污穢在牠光華裏；

若是燃在世界上的「人」心房裏呢？

人類的陰險詭仄的刁心，

　　也就伏伏的倒在他微光懷裏。

（五十一）

安靜思眠的我，

「魂」屋中的小門門緊緊鎖關住；

　　一會兒要夢了——

　　小門門悄悄的開着；

天亮時——

　　等候香魂的小門門任站在小門傍呢？

（五十二）

風使一搖扇，

20

~~~~~晨　露　集~~~~~

世界上萬物都顫動了；

　　而然我的「心魂」兒，

也冉冉的觸了這徐風便飛出看景了。

（五十三）

　　清澄澄的小池裏，

也有看天劇者的青蛙，

不住的叫朵着；

　　太空的劇員任是這樣的演着，反不膲牠一眼。

（五十四）

　　綠盈盈的青草呵！

萬物威權的足來踐踏你，

你只能顫動的含淚着；

　　但是只有微芒的螢兒，

　　隨伴你安慰你心了。

27

~~~~~~晨　露　集~~~~~~

（五十五）

井底的小青蛙呵！

瞥見一縷的月芒便高唱不休；

月兒在遙望你，

馳冷靜般的胸膛便只恩賜你一線的光華，還嘲笑你

是傻氣的東西。

（五十六）

白髮祖父的談笑間，

語語使我覺悟恐怖，

我顚睡後醒來再聽他的故事了。

（五十七）

深秋的花呵！

天使立刻把花瓣採去在他囚禁裏了。

青年，

28

~~~~~晨　露　集~~~~~

在少時無意識中的愉快；

　　在衰老先後應防止天使的憂愁的籠罩呵！

　　（五十八）

青萍，

蕩蕩的浮在澄湖上；

　　生命——

便認着一葉扁舟，

　　在這須臾光陰裏；

　　悄悄的駛過去了。

　　（五十九）

　　晚霞燒通了西天發出熊熊的火來，

　　世界上的人瞥見了霞光反而說；

　　縹渺的光華，照耀了東方的灰黑土地。

　　（六十）

~~~~~~晨　露　集~~~~~~

碧草呵！

春光裏站在庭傍，

我的愛人深秋時顫顫的向我說，

　　親善的良伴呵！

　　願祝你不要萎謝。

（六十一）

「心海」的小舟呵！

要領略水途的真趣；

向着邊堤微蕩吧！

（六十二）

小孩子惟有天真，

花兒祗有豔麗，

我這活潑的詩句兒也摘在闊裏了。

（六十三）

30

~~~~~晨　露　集~~~~~

小孩子在母懷中任是酣睡，

醒了過來；

起始在園中遊戲喧譁着。

（六十四）

你踏在愛河裏，

那溫柔的微浪；

會衝上你「心舟」中。

（六十五）

思想，

當你來時而看不見形影；

而竟亂撥心舋不住。

（六十六）

心燈，

我知道牠是點燃在我心裏，能瞥見萬物的偉大；

81

~~~~~~晨　露　集~~~~~~

若是吹滅了，我也是永久的在歸息了。

（六十七）

當我瞥見嬰粟花之後，

便有牠無形影在我「心田」中娜娜呢？

（六十八）

小鳥的樂聲旋繞了繁林；

雨點兒的喧嘩聲起奏了，

小鳥兒却飛掉了；

繁林也煩厭「雨」歌了。

（六十九）

月光底下的陰翳亂，

太陽出來的鳥懼聲。

（七十）

82

～～～～ 晨　露　集 ～～～～

悠揚的詩句；

泉流，

我也在大地上聰你沉吟了。

（七十一）

辯論，

無情的利比；

上了人生的戰線；

勇敢——奮鬥。

我的朋友，

我犯了罪麼？

那真理的溫泉，却洗濯了你心中的污穢

（七十三）

殘酷的人類、

33

~~~~~ 晨　　露　集 ~~~~~

你無情麼？

那太陽神發出慈祥光來，

　　小缸中冰塊兒也還瀉出熱忱的淚呢？

（七十四）

　　文字，

　　灑了心血；

　　　便結出宇宙中的最偉大紅果兒呵！

（七十五）

　　縹渺的雲兒，

　　你從蔚籃窗下躐去；

　　　小湖傍的羣花也俯覷你的跳舞了。

（七十六）

　　光陰呵！

　　你今天旋繞時，

34

～～～晨　露　集～～～

我正在工作着；

明天再續線時，

　　我已要永息了。

　　　　　（七十七）

　　淺籃的天空大路上，

　　月兒來徘徊徘徊；

你行動時，

　　天空路上沒見你的黑影；

　　然而詩人「心中」却有了你的知識幻影了。

　　　　　（七十八）

　　微微的波濤起了，

我是歸返的「心舟」兒；

　　隨着你潺潺的浪花蕩過難行之路了。

　　　　　（七十九）

35

~~~~~~~~~ 晨　　露　　集 ~~~~~~~

我開了心門，

心房中的思想似柳絮般的亂飛了。

（八十）

陽光從窗外射進來，

瞥見時是燦爛光明的；

再要抬頭看看光華的源祖，

眼珠兒却迷了如盲了。

（八十一）

泉流呵！

剎剎要這般的奏樂着；

小石崖聞了你的歌聲，

任只冷靜的輕視你。

（八十二）

玫瑰開了蕾苞，

36

~~~~~ 晨　露　集 ~~~~~

紅雛暈的兩頰嬌嬌滴滴的說——

　　親愛的人類呵！

　　請不要殘酷我罷。

　　　　（八十三）

　　我正在窗下伏案思索，

太陽却悄悄的西去了；

只留下一片黃昏的黑暗給我。

　　　　（八十四）

　　茫茫的海波兒，

　　縹緲的雲紋兒，

是浩渺的詩意兒；

　　詩人在院外遨遊，

默默悄悄的思索牠的原韻。

　　　　（八十五）

37

~~~~~~ 晨　露　集 ~~~~~~

你疑思已經越出了世界，

然而世界眼光下，還只見你在繞迴着。

(八十六)

生命的歸途，

不相識的路遙悄悄的輕撩我過去。

(八十七)

昨天繁雜的思想隱隱的縛纏着，

今天──

　　然而我只能記起牠一些影兒較濃的。

(八十八)

思想呵！

你是細絲兒，纏了我的心繭上了。

(八十九)

38

~~~~~~ 晨　露　集 ~~~~~~

皴漾的，

　心舟這樣的輕蕩着；

歸岸後；

　心舟上的人，却感謝偏大碧波兒的清趣。

（九　十）

風使把枯葉兒抛在亂坵上，

枯葉衰衰的忘了牠的生母；

便閉眼歸葬了。

（九十一）

酣睡中的嬰孩，

然而她的小魂兒，正和眞理做答呢？

（九十二）

站在雲端上，

瞥見人間一切的零凋時

3}

～～～～～晨　露　集～～～～～

便灑下數掬雨。

（九十三）

海外的遊者，

在這偉大的海岸傍，聽了海波的微吟；

　便好像家鄉中有了喜音了。

（九十四）

瀰漫的思想，

明明白白的是敲着我心中的房門；

　停會兒就走去了，

然而不能看見你的容貌，而祇只知道你的殘影。

（九十五）

依在欄干傍，

看看碧波裏的月光；

　這樣的銀光，絲絲縷縷與閃鑠着，

40

~~~~~~晨　露　集~~~~~~

我無魂靈兒；

也耀耀的活動了，

（九十六）

愛人呵！

惟有你感動我的心呵！

我的微笑也正吻在你芳心內。

（九十七）

我正憑窗對窗外的蓉花對語時，

蓉花與春光也正在歡欣着，

時時的向我微微的點頭。

（九十八）

勤勤的灌溉牠，

美麗花蓓上；

結了碩大的紅果兒。

41

～～～～～晨　露　集～～～～～

（九十九）

「心舟」正被潮浪兒衝翻了，

「智識」欲託着巨浪去救「心舟」去。

（一〇〇）

圓圓的皓月站在雲端上，

旅行者見了自己的濃影，

便抬頭看看牠；

明月好像緊緊的遠隨着。

翌日──

旅行者任是在這羊腸曲徑上慢行着，

他只見着大地上昏昏的慘光，便又抬頭一看那

一角懷月，遠遠的立在西天上，已經缺了牛邊

了，

（一〇一）

42

~~~~晨　露　集~~~~

碧波是「魚兒」的跳舞台呵！

牠穿了黃衫兒在你的淸靜世界裏唱踢，

然而漁燈與在台下聽劇呢？

（一〇二）

岩石呵！

你要聽聽淸脆的奏樂，

不在靑山上，

是在瀑布傍。

（一〇三）

靑年呵！

你要懺悔吧！

因爲你把你手中的嬌嫩花花拋去時、

然而牠的美貌就是憔悴了。

（一〇四）

43

~~~~~ 晨　露　集 ~~~~~

我在春光裏寫我所有的心中的眞趣，

紅桃上的鶯鳥飛下也唱牠的淸妙的歌唱。

（一〇五）

若是把「愛情」賜與瀑布受用，

頃刻間瀑布便拋了牠的應受的愛情了。

（一〇六）

　遊子，

若是疑思你鄉土黑暗時，

　　你把你所爲的悲調唱與

　　「飛鴻」

　　牠飛去了——

　　一會兒牠，就月安慰你了。

（一〇七）

魂兒出去和愛人對吻了，

44

~~~~~~晨　露　集~~~~~

天亮後我便醒了來，思索剛才的甜蜜；

　　等會兒愛人來了，

我和她說昨天的擁抱的愉快；

她却茫然不知所對。

　　　　　（一〇八）

　　無聊的情緒，

沙沙的雨滴落在「心田」內；

　　「心田」內的嫩花兒美麗了，

　　情緒還思索牠的果兒。

　　　　　（一〇九）

　　撥琴時，

「心琴」有條有序的和外面的琴默奏了

　　　　　（一一〇）

　春光裏，

~~~~~~ 晨　露　集 ~~~~~~

鳥兒歌唱，花兒如笑；

　　傾刻間深秋裏

鳥兒歸巢；

花兒憔悴；

　　宇宙裏只有——

悽蟲唧唧，

秋風瑟瑟。

(一一一)

　　真理是人生的樂園，

我便說了一句話兒真理的園還只圍繞我的身旁。

(一一二)

　　在月下吟詩，

我便仰觀牠的靜美，

牠便俯就我的清雅；

　　我得了靜美的銀光，

46

~~~~~晨　露　集~~~~~

便想了清雅的詩句兒了。

（一一三）

思倦了，

讓我看看窗外的湖光吧——

　　小鳥兒也飛了來，站在青上荷看了一眼便向我

歌唱起來。我登時欣樂了；

　　也吟了一掬詩兒報答牠的愉快。

（一一四）

父親呵！

我便不見你「智識」的容貌，

然而你行行動間，我便知道你有完善的真理。

（一一五）

深秋的寒夜，

我便獨倚在亭欄傍淒涼着；

~~~~~~ 晨　　露　　集 ~~~~~~

那雨滴兒滴在蕉葉上，

我的淚珠也落在「心田」內悽悽的作響了。

（一一六）

小鳥在園裏唱歌着，

「世界」却靜靜的聽你清脆的談吐。

（一一七）

春燕呵！

你歸來麼？

我也是隔夜的柳花兒，

請你指教我何處的窩巢。

（一一八）

花前月下，

我正默默的遨遊時；

那裏的脆歌兒順風傳來；

48

～～～ 晨 露 集 ～～～

我靈魂便倚在樂聲裏，充滿了蜜語的愛了。

(一一九)

我對青山大發雷霆時，

青山也有無形的武孔聲報復我。

(一二〇)

薔薇花兒，

你穿了嬌紅的輕衫在風世界上搖曳呵！

風世界中的風恨你的驕傲，便孔怒的把你衫兒葬化
了。

(～二一)

太空幕的劇正在演映着；

觀劇者的花兒樹兒也正在搖擺的叫采着；

黑雲兒把劇幕關閉了；

古上下都不響了。

49

~~~~~~晨　露　集~~~~~~

（一二二）

西返的太陽，

似乎向靜月說——

前途珍重吧，

世界上的情人也等着你的光華細述蜜語呢？

（一二三）

月光兒一片射在床前，

我便捲簾一瞭；

靜美的天然，

遠處的疎鐘，

感謝你天眞的事實；

而撩了我心中的事實。

（一二四）

煩亂的思想撥在心琴上，

便起了以湃的音調了。

03

~~~~~晨　露　集~~~~~

（一二五）

豪富說——

金錢都是我的，

天使把他有的金錢變作鴻毛了。

（一二六）

「文字」國的皇帝，

軸所有的聰慧使者：都賜與世人；

然而世人盲迷不悟，反怨皇帝所恕拙者。

（一二七）

芳蘭呵！

你甯可站在岩石傍；

却不願與羣花對歡呵！

（一二八）

51

～～～晨　露　集～～～

「愛情的花」見着自己是所凡愛的便歡笑，

牠的紅果兒經了狂風一吹便落掉了。

（一二九）

月兒愛慕大地，便賜了大大的光亮，

詩人在月下遨遊時，也起了心上的光明。

（一三〇）

孩童迷路了、

母親的智識曲徑告訴他吧！

（一三一）

當我到了天堂上，

再回顧家鄉窗下的落葉。

（一三二）

心上便再想和愛人接吻時，

「思想」就把愛人迎來似乎與我擁抱了。

52

~~~~ 晨　露　集 ~~~~

（一三三）

夏間的陽光，

我要躲避牠的威風；

秋爽的明月，

我和牠有好許的神祕，便親近牠了。

（一三四）

虛僞向誠實說，

你的成功不如我的珍貴；

誠實囘答說，

你把世界眞理看錯了，以爲是珍貴的。

（一三五）

暮鴉站在枯枝上，自瞻爲寒冷中的天神；

天神因爲有許多殘花再跪求牠的美麗，

他便把寒冷收進來，把幸趣賜與羣花。

53

〜〜〜〜晨　露　集〜〜〜〜

（一三六）

墳墓；

那青天上的繁星，

茫海中的疎鐘，

同來弔弔你墓內的孤魂兒呵！

（一三七）

小弟弟鉤了新愁時便啼哭，

然而我不應得罪他的心思就充滿了。

（一三八）

捲了疎簾看看外面的淸奇世界；

青山樹翠，

樹影交錯，

野花如笑，

鳥兒唱踊，

54

~~~~~晨　露　集~~~~~

糊波碧漪，

　　我便蘸着筆；

向幽雅的世界朦朧牆上寫道！

犧牲你的佈景，而得到我愛你的真趣。

（一三九）

空氣散漫了世界，

也是獨創造世界上的美麗。

（一四〇）

「美麗」向世界說——

世界都是美觀；

　　「醜惡」頹喪着臉長歎的向美麗說，

世界總是面醜的。

（一四一）

　　都成了白雪世界了，

55

~~~~~~ 晨　露　集 ~~~~~~

小茅廬也作了獨立的世界。

　　　　　（一四二）

巨雷來了，

母親却唱了雅曲兒給嬰孩聽。

　　　　　（一四三）

歡笑，

跳舞，

母親見了天眞的孩子，便不堪想她過去的事實了。

　　　　　（一四四）

不思索中的談話，

「心絃」却把眞情流露出來。

　　　　　（一四五）

旅行者站在山巔上，

感謝月光兒的引導。

56

~~~~~~ 晨　露　集 ~~~~~~

（一四六）

「黑暗」賜了黑暗衣給太陽，

早晨來——

　　太陽也脫下黑暗衣，便賜了光明衣與黑暗。

（一四七）

　　故鄉呵！

未晤已稔了，

　　無窮的愁惱；

　　消化在寒喧中罷！

（一四八）

　　母親不住的安慰嬰孩，

　　嬰孩不住的嬌笑；

然而他微笑裏，

　　也流出愛母親的眞情，流露出來。

57

～～～～晨　露　集～～～～

（一四九）

風兒颭舞了青枝，

花枝點點頭向風兒道謝。

（一五〇）

昨夜飛舞的雪花，

如何的美麗呵！

今早捲簾一瞥，

只有些淋滑的泥土却滑了行路的老人。

（一五一）

你和我——

蹢躍了，

談笑了，

親蜜了，

我的孩子——

58

〜〜〜〜〜晨　露　集〜〜〜〜〜

眞對不住你，

所報答你的快樂的酬禮；

　　只有沉默中的愛滿溢了。

（一五二）

歸來的囘憶，

是無痕跡的徘思；

也鈎上了我的沉默。

（一五三）

「花香」吹到春光足前，求牠的愛憐，

春光嗅了馨芬，便愛慕「花香」了；

　　隨時賜與一個美麗的紅果兒。

（一五四）

眞理在呆呆沉默着，

世界上並不譏刺牠是癡子。

59

~~~~~~晨　露　集~~~~~~

（一五五）

大雨底下，也有傘底下的行人。

（一五六）

伉儷吧！

安琪兒撒播了一顆紅果兒在愛情肥土裏呢？

（一五七）

落葉，

不要悲哀吧！

因爲鶴髮童顏的祖父，睹情而傷嘆呵。

（一五八）

太陽在空中遨遊，

大地上發現偉大的光亮；

歸返後，

60

~~~~~~晨　露　集~~~~~~

我的院落何曾再尋牠光亮的痕迹呢？

（一五九）

「思想」燃在心燈裏，

心燈照耀世物的形跡；

世界上也便發現牠的光明。

（一六〇）

我的足痕印在湖邊上，

那天上浮過的雲朵兒，也瞧着我微微的點頭。

（一六一）

醉了，

我的朋友——

請滿溢我手中的杯兒，

對着蹧驪的鏡子，照照我的糊塗的面貌。

61

— 63 —

~~~~~~~晨　露　集~~~~~~

（一六二）

生命的小舟，

載了生命遊覽茫茫的海景兒；

　刹那間──

生命便迷迷的酣睡在小塌上。

（一六三）

凄清的長夜，

聽聽院前的落葉聲；

　可憐我的魂兒呢？

　也深深的印了枯葉的凄聲了。

（一六四）

遨遊吧！

那月下的蘭香從園外送來，

　思想也泛溢了心房；

感謝──

62

～～～晨　露　集～～～

月光的靜美，

微風的和暢，

蘭兒的濃馨。

（一六五）

人生呵！

不堪回首呵？

過來的事實、

只有天眞的朦朧影兒。

（一六六）

和善的人與我談吐，

然而我祗知道他眞理的隱約；

奸惡的人哩？

眞理已經避遁了。

（一六七）

63

〜〜〜〜〜晨　　露　　集〜〜〜〜〜

　　世界的屋子裏，

　人們的安頓處；

　　我的園內呢？

　花兒哀豔，

　鳥兒跳躍了。

（一六八）

　　小孩子有了現在的愉快，

　　然而他的悲觀還在後頭。

（一六九）

　　悲秋——

　青翠的樹兒，

　豔麗的花兒，

　　的劊子手呵！

　可憐松，竹，梅，也站在塲旁瀉了同情淚呢？

64

～～～晨　露　集～～～

（一七〇）

我正在思索以往的憾事，

春風却傳與我——

　　哀豔的——鵑語，

　　清脆的——琴聲，

然而春風也似乎對我說——

　　如此良晨，

　　賜君幸福。

（一七一）

罪惡呵！

惟有眞理的浴池洗濯你過犯的汚穢

（一七二）

陽光照耀在「繁林」身上，

　　繁林有了濃黑的影子；

65

〜〜〜〜晨 露 集〜〜〜〜

路過的旅行者，

却感謝繁林蔭涼的賜福。

（一七三）

池中的魚兒，時時的水面上遊來遊去，想覓牠

的食物，

岸上的漁人，鉤上了牠的食物，而得了牠的生

命。

（一七四）

沉默，

已思索了詩句兒；

也似靜美的宇宙，細聽小鳥的歌唱。

（一七五）

「生命」向光陰說——

我只有生長與工作麽？

66

~~~~~晨　露　集~~~~~

光陰點點頭倏倏的走過去；

　　「死亡」終始不見光陰繚繞着點頭了，

　　便是永久的安息。

　　　　　（一七六）

　　這些瑣碎事情揚起了心路上的灰塵；

　　心路上——

軍馬的聲浪，

行路的脚步聲，

喧嘩的高囂聲，

談笑的拍掌聲，

　　無從安靜了。

　　　　　（一七七）

　　脚步兒，

你勇敢罷！

　　茅蘆門外的白髮祖母，也正在倚門翹望？

67

~~~~~~~~晨　　露　　集~~~~~~~~

脚步兒，

慢慢的行；

　　回答說——

遊子呵！

　　原諒我，

那處的莉刺；

　　我正怕要流血了。

　　　　　　（一七八）

　　錦簇豔輝，

　　黃金飛煌，

時時在房頂下隱現；

　　驚覺一瞥，

一角缺月，

風吹樹稍，

　　更淒涼了我的情緒。

~~~~~晨　露　集~~~~~

（一七九）

喧聲從外面進來，

室內的笑聲却遮蓋了沉靜。

（一八〇）

羣星，

是縹緲的光芒；

我的情緒呢？

便也時時的羞睞了「心光」。

（一八一）

大地寂寥，

海流淾淾，

山巔險危，

多麼茫渺呵！

小鳥兒——

69

～～～～～ 晨　露　集 ～～～～～

飛過了山巔，

經過了大海，

大地上也聽見了牠的歌聲。

（一八二）

這些思想彽徊了，

在什麼處在呵！

我的「心海」激成了波濤。

（一八三）

礁石呵！

你永久呆呆的站在這海岸旁麼？

然而也有永久的波潮，的岸上的漁燈伴着你呢

？

（一八四）

春風去也，

70

~~~~~~~ 晨　露　集 ~~~~~~~

只留了地上--片片的花瓣兒呵！

（一八五）

秋裏的菊兒軒昂着，

嚴霜侵襲你；

世人却讚美你是君子的氣宇。

（一八六）

清脆的歌兒；

婉囀的，

有條有理的，

在心絃上長彈。

（一八七）

清晨，

肩眼惺忪；

窗前的小鳥，飛到樹梢上歌聲起來，

71

~~~~~~晨 露 集~~~~~~

（一八八）

愛人呵！

偕你同上了小舟，

　　那湖水枯涸了；

原諒我——

　　我的「心舟」兒正行在你愛河裏。

（一八九）

靜美的月色，

　　微芒的羣星，

請留下一些光亮在我文字上。

（一九○）

粗陋的樹巢，

倦鳥的安頓處；

　　然而「世界」不住的讚美牠智識的搖籃。

72

〰〰〰晨　露　集〰〰〰

（一九一）

　　洞簫的幽聲；
柔和的，
清妙的，
私訴的，
　　從牠玉喉裏歌唱起來；
歌聲裏說牠曾經過風，霜，雨，雪，的淒涼；
　　人類，
只有你們現時溺愛牠的嬌音呵！

（一九二）

　　花兒對葉兒說——
我是美麗的，
你是清幽的；
　　葉兒應了牠便便保存了牠的花朵。

⁂　⁂　⁂　⁂　⁂

~~~~~~晨 露 集~~~~~

果兒向葉兒說——

我是尊貴的，神聖的，

你是在下的，卑賤的；

枝兒恨果兒的無禮，搖動了一下便拋掉了牠在

地上。

（一九三）

心血流在「理想中」，

然而「理想」有了油料，便照耀偉大的真理之

圍了。

（一九四）

雨後的清趣，

清幽；

澄美；

雀兒飛了去，

篏着了湖山的青翠；

74

～～～～晨　露　集～～～～

歸向休巢了。

　　　　＊　　＊　　＊　　＊　　＊

　　雨後的清趣，

清瑩；

幽渺；

　　美術家緘默罷！

所寫出一切山清水秀，

是絕對的美。

　　　　＊　　＊　　＊　　＊　　＊

　　雨後的清趣，

幽邃，

軒昂，

　　然而雨滴兒在夜間也許洗澀了你的面孔，保存

　　你的美麗，在今晨日光下。

　　　　＊　　＊　　＊　　＊　　＊

　　雨後的清趣，

怡靜；

75

~~~~~~~ 晨　露　集 ~~~~~~~

幽雅；

　　生命兒輕泛着一葉小舟兒，

　　在澄湖裏微漾；

看呵——

　　那處岸堤上的柳花兒也，被狂風吹颺了亂舞呢

　　？

　　　　　　※　　※　　※　　※　　※

　　雨後的清趣，

靜美；

朗朗；

　　山間內的渠溪兒流着歌唱，

　　渠溪裏也有黃衫的魚兒跳舞。

　　　　　　※　　※　　※　　※　　※

　　雨後的清趣，

渺茫；

杳藹；

　　鳥兒歌唱了，

76

〰〰〰晨　露　集〰〰〰

牠的歌聲——

　　由繁林繞過了青山．

我在小湖旁聽了牠的沉吟，

唯有心中的愉快也便是在劇台上叫了一聲采。

　　　　❋　❋　❋　❋

　　雨後的清趣，

清爽；

素潔；

　　微風來也——

青山上的草兒，

　　顫動；

堤旁的柳細兒，

　　搖曳；

澄湖裏碧波兒，

　　漣漪；

園裏的玫瑰兒，

　　飆舞；

77

～～～～晨　露　集～～～

感謝你風使的仁慈；

　　然而——

顛動，

搖曳，

漣漪，

颭舞，

　　也是各各的謝意。

　　　　　※　　※　　※　　※　　※

　　雨後的清趣，

璀璨；

瑰奇；

　　當我領略了湖光的美，

再寫了我的詩；

　　看呵！

我的詩也正在與湖光同飛呢？

　　　　　※　　※　　※　　※　　※

　　　　（一九五）

78

～～～～ 晨 露 集 ～～～～

我的朋友，

當我再下筆時，

　思想却脫離了天然界了；

只留下最後之敬贈，

獻與未來之愛的足前呵！

（一九六）

　晨露兒那般神往的明亮；

呆呆的，

默默的，

悄悄的，

　擁着青被兒；

時弄雙眸，

　瞥見了——

湖光靜美，

山林清奇，

雀兒如笑，

79

～～～～晨　露　集～～～～

想不到——

早陽已升，

　　竟釣起了悲傷；

　　只是暗暗的背地偷咽。

　　　　　＊　＊　＊　＊　＊

　　晨露兒站在荷頂上，

　　雲紋兒飄在太空下，

牠倆呆視着

　　便生了剎那間的慮意了。

　　　　　＊　＊　＊　＊　＊

　　晨露，

你正在綠萍的小屋內鼾睡着；

　　少時——

柔和的陽光射了你窗前，

　　你却匆匆的跑去失跡了。

　　　　　＊　＊　＊　＊　＊

　　晨露呵！

80

~~~~~ 晨　露　集 ~~~~~

情早起，

　　我便開了門；

湖光前，

　　迎迓我的愛者，在青荷屋子裏呵！

　　　※　　※　　※　　※　　※

　　　　一九二六，一，十。脫稿

　　　　　　　嚴　廷　楷